中国绘四大名著

—— 水浒传

卢俊义活捉
史文恭

【明】施耐庵 原著

廖志军 编著 唐一鸣 绘

江西高校出版社

一日，下山买马的段景柱慌慌张张地跑来向宋江禀报，说要买的马被曾头市的郁保四等人夺走了。宋江不由得大怒，又记起晁盖被杀的仇来，便带着梁山五路军马去攻打曾头市。

　　教师史文恭在曾头市等候宋江的兵马，不料被吴用使计先烧了寨门，于是忙差人修理。次日，曾涂出来叫战，宋江派出吕方和郭盛。双方一番恶战，曾涂被斩于马下。曾升见了大怒，说要给哥哥报仇，拍马出去叫战。

　　李逵见此，早被激起了斗志。只见他抢起两柄斧子上阵，不料还没施展本事便被一支箭射在腿上，倒了下去。众人见此，忙救下了李逵。宋江于是下令退兵，次日再战。

　　当晚，史文恭在帐中思索破敌之法。他认为此时敌军可能守备松懈，便去劫营。不料中了宋江的埋伏，解珍和解宝杀出来，混战中曾索丧命。

　　曾长官见折了曾索，便让史文恭写降书。书信送到宋江处，宋江不肯就此罢休。吴用劝宋江以大义为重，宋江便要求曾长官还马，并交出郁保四。曾长官照办后，宋江又让归还被曾家五虎抢去的照夜玉狮子马，史文恭听后大怒。

　　宋江劝服了郁保四归顺，派他回曾头市诱使史文恭前来劫寨。史文恭中计，经过一番混战，逃跑时被晁盖的阴魂围住，随后被卢俊义捉住。这边梁山好汉攻下了曾头市，曾长官自缢，曾氏兄弟皆死于乱军之中。

　　史文恭被押至宋江面前，宋江将其剖腹剜心，享祭晁盖。事罢，他便和众人商议梁山首位之事。宋江依照晁盖遗言，要把头领之位让给卢俊义。卢俊义推辞不受，梁山泊众兄弟也都不答应。